Simbad el marino

Las mil y una noches

Adaptación y dibujos:

Miguel Jiménez Hernández

© 2004 Miguel Jiménez Hernández
© 2004 Editorial Orix S.L.

© 2004 Editorial Océano S.L.
Edificio Océano
Milanesat, 21-23
08017 Barcelona
Tel.: 93 280 20 20
Fax: 93 203 17 91
www.oceano.com

ISBN: 84-494-2864-5
Depósito legal: B-34598-XLVII
Reservados los derechos para todos los países
Impreso en España / Printed in Spain
9001465020205

Simbad era hijo de un pobre tendero y como carecía de todo excepto de lo puesto, decidió probar fortuna en países lejanos.

Así que se enroló de marinero en el barco de un rico armador que estaba a punto de zarpar para comerciar en otras tierras más allá de los mares.

Después de muchos días de navegación, atisbaron una isla en medio del océano.

La tripulación bajó a tierra para aprovionarse de toda la fruta y agua fresca que pudieran cargar.

Simbad se quedó dormido en la playa y el barco zarpó sin que nadie lo echara de menos.

Al despertar comprobó que se encontraba sólo en la isla, como un naúfrago. Lamentándose de su suerte, se encaramó a lo alto de una palmera para otear el horizonte.

Como no vio nada, después escaló una montaña, pues mantenía la esperanza de divisar algún barco que lo sacara de allí.

Al llegar a la cumbre encontró un gran nido con un huevo enorme que, a juzgar por su tamaño, debía pertenecer a un ave gigantesca.

De pronto noté que el sol se oscurecía, y al levantar la vista vio un gran pájaro de extraordinario tamaño. Prudentemente Simbad se escondió de su vista con rapidez.

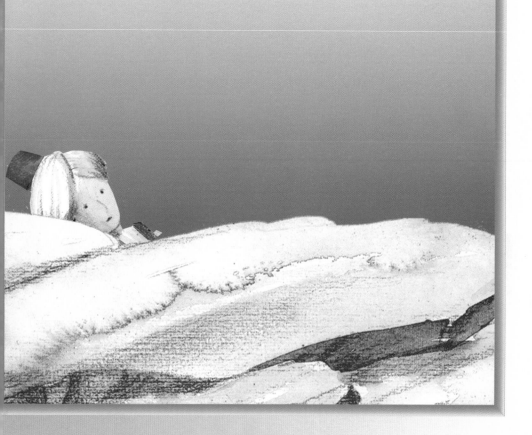

Pensando que quizá el ave pudiera llevarlo fuera de allí, se ató fuertemente a sus garras con el turbante y pasó toda la noche atento para no ser aplastado por el ave.

Con las primeras luces del alba, el ave se elevó a gran altura por los aires llevando colgado de una de sus garras a Simbad.

Nada más tocar el suelo, Simbad apenas tuvo tiempo de esconderse cuando el gran pájaro se enzarzó en una pelea con un reptil tan gigantesco como él.

$\mathcal{D}$esde su escondite, Simbad pudo observar cómo tras derrotar a la serpiente, el ave se elevaba de nuevo con su presa por los aires.

$\mathcal{E}$l lugar donde se hallaba era un profundo y pedregoso valle de paredes muy escarpadas y habitado por gigantescas serpientes.

Al recorrer el paraje, Simbad descubrió
que el suelo estaba cubierto de diamantes
relucientes y toda clase de piedras preciosas,
que fue recogiendo en su zurrón.

Cuando empezó a oscurecer, Simbad se refugió en una cueva pensando en protegerse. Ya se disponía a dormir cuando descubrió que una de las serpientes estaba durmiendo en la gruta, por lo que pasó toda la noche en vela y sin moverse por miedo a despertarla.

Al amanecer salió de allí dando gracias a Alá por el profundo sueño de la serpiente. De repente, un gran trozo de carne cayó a sus pies desde lo alto de la escarpada pared del desfiladero.

La carne roja, al rodar por la ladera, se había impregnado de diamantes y piedras preciosas.

Enseguida se dio cuenta de que la única
manera de salir de allí era la misma en que
había llegado. Sin perder un instante, recogió
todos los diamantes, se puso debajo de la
carne y se ató fuertemente con su turbante.

Efectivamente, tal y como había supuesto Simbad, al poco rato descendió un pájaro a llevarse tan suculenta cena, y de nuevo sintió el vértigo de elevarse por las alturas

Nada más posarse el ave en la cima de la montaña, Simbad oyó unos fuertes gritos y palmadas, por lo que el asustado pájaro se elevó de nuevo por los aires.

De inmediato se acercó un hombre, que había arrojado la carnaza para recoger los diamantes.

—Buen hombre, me llamo Simbad y con vuestro ingenio me habéis salvado la vida, así que tomad vuestra parte y acompañadme hasta un lugar habitado.

Y así fue cómo el destino permitió a Simbad regresar sano y salvo a su casa y cargado de riquezas.